S0-CBL-186

Catalogage avant publication de
Bibliothèque et Archives nationales du Québec et
Bibliothèque et Archives Canada

Choquette, Natalie, 1958-
Mademoiselle Myrtille

Doit être accompagné d'un disque compact.
Pour enfants de 5 ans et plus.

ISBN 978-2-89686-713-4

I. Bergeron, Louise Catherine, 1958- . II. Titre.

PS8605.H662M32 2013 jC843'.6 C2013-941019-8
PS9605.H662M32 2013

Direction littéraire et artistique : Sylvie Roberge
Révision et correction : Danielle Patenaude
Conception graphique : Dominique Simard

Dépôt légal : 3e trimestre 2013
Bibliothèque et Archives nationales du Québec
Bibliothèque et Archives Canada

Dominique et compagnie
300, rue Arran
Saint-Lambert (Québec) J4R 1K5
Téléphone : 514 875-0327
Télécopieur : 450 672-5448

Courriel :
dominiqueetcie@editionsheritage.com

www.dominiqueetcompagnie.com

Imprimé en Chine

Nous reconnaissons l'aide financière du gouvernement du Canada par l'entremise du Fonds du livre du Canada et par le Conseil des Arts du Canada.

Nous reconnaissons l'aide financière du gouvernement du Québec par l'entremise du Programme de crédit d'impôt – SODEC – Programme d'aide à l'édition de livres.

Cette histoire est une fiction
inspirée de l'arrivée des Filles du Roi en Nouvelle-France
où elles étaient accueillies par les Ursulines.
Mère Marguerite porte le prénom
de mon incroyable et chère grand-tante Marguerite Lescop.
C'est aussi celui de Marguerite Bourgeoys,
qui a hébergé les Filles du Roi venues s'établir à Ville-Marie.

Mademoiselle Myrtille

Texte de
Natalie Choquette

Illustrations de
Louise Catherine
Bergeron

*À Alice Rose,
mon petit bleuet d'amour.
Natalie*

*À Guy, mon doux ami,
mon ouistiti !
Louise Catherine*

Dominique et compagnie

Je suis partie de La Rochelle
Sur une jolie caravelle
Pour aller en France-Nouvelle.

Mademoiselle Myrtille
est heureuse aujourd'hui,
car elle va enfin
choisir son mari !

Dans sa chambre de la grande maison,
elle rêve d'un tout petit gentil mari
aussi doux qu'un ouistiti !

Je suis fille du ***Roi Soleil****,*
Travaillante comme une abeille,
Et j'adore *les groseilles!*

Mère Marguerite l'encourage
à trouver un bon parti :

*Choisissez avec prudence,
Car ça prend de l'endurance
Et beaucoup de persévérance!*

Devant la porte d'entrée de la grande maison,
des dizaines de prétendants attendent impatiemment
d'être présentés à Mademoiselle Myrtille,
qui savoure une camomille.

Ils défilent un à un :
« Capitaine Bedaine Dêziles De La Madeleine ! »
« Officier Ragoût-de-Pattes De Sainte-Agathe ! »

« Docteur Maringouin,
barbier-chirurgien
abitibien ! »
« Soupe-aux-Pois,
coureur des bois
québécois ! »

Trop grand, trop gros, trop rabougri,
Trop vieux, trop pingre, trop de manies,
Et celui-ci dit des dingueries!

« L’intendant Ti-Jean Bomblanc
De Carignan ! »

« Le cuistot Racle-les-Pots
Franco D’Ontario ! »

« Le draveur Pouding-Chômeur D'Aylmer ! »
« L'arracheur de dents pourries
Décarie De Ville-Marie ! »
Trop fat, trop triste, trop moche,
Trop nul, trop bête, trop croche,
Sait pas tenir sa langue dans sa poche!

« Lardon De Saint-Siméon, Seigneur de Cochon ! »
« Bivouac De Kuujjuaq, marchand de kayaks ! »

« Panier-Percé De Gaspé,
financier ! »

« Dédé Barbouillette
De Sainte-Perpette,
fabricant de raquettes ! »

Trop gras, trop fier, trop grognon,
Trop vif, trop mou, trop patachon,
Et lui ne me traitera pas aux petits oignons !

N
O
E
S

Ils défilent comme des cardinaux :
qui du nord, qui du sud, qui de l'est, qui de l'ouest.

Winny Laprairie
De Saint-Boniface
pratique la chasse.

V'là-l'Bon-Vent De Shippagan
pêche le hareng.

Faut-qu'ça-Bouge De Bâton-Rouge
dirige la fanfare.

Avant la tombée de la nuit, ils repartent bien déconfits.
À tous ses prétendants, Mademoiselle Myrtille a dit :

« NENNI ! »

Très insatisfaite, elle déclare avec nostalgie :

JE VEUX rentrer
à La Rochelle
sur une jolie caravelle
et QUITTER
la France-Nouvelle!

Déçue de ne pas avoir trouvé
un tout petit gentil mari
aussi doux qu'un ouistiti,
Mademoiselle Myrtille monte
dans sa chambre en pleurant :

Dans cette colonie, je n'ai pas de chance.
Je veux revoir ma douce France,
Le beau pays de mon enfance!

Mademoiselle Myrtille reste cachée
pendant trois jours et trois nuits.
Elle est in-con-so-la-ble.

Mère Marguerite
lui apporte
de jolis fruits colorés.

Rien n'y fait. Ni prières, ni canneberges, ni mûres,
ni fraises, ni framboises ne réussissent à la consoler.
Au petit matin, un curieux TOC ! TOC ! TOC ! retentit !

Haut comme trois pommes,
le retardataire exécute
une pirouette audacieuse
en guise de salut.

Voici pour vous, Mère Marguerite,
Des pets de nonne de ma tante Simone !

Les beignets sont si bons
que Mère Marguerite
les avale tout rond !

Mes hommages, Mademoiselle Myrtille !
La plus chouette de toutes les filles !
La plus belle des airelles, des snelles et des gadelles !

Mademoiselle Myrtille rougit comme une tomate…
Enfin un prétendant qui n'est pas plate !

Mère Marguerite murmure :

Il a le charme fou du ***caribou***

et le je-ne-sais-quoi

de ***l'atoca!***

Le charmant soupirant sort alors de sa poche un joli présent qu'il tend délicatement à la jeune demoiselle :

Mademoiselle Myrtille
ne connaît pas ces petits fruits
mystérieux qui lui semblent
pourtant bien familiers.

Elle y goûte, les savoure
et s'exclame, le cœur battant :

DÉ-LI-CI-EUX!!!

Ses grands yeux bleus deviennent
plus bleus que myrtilles et bleuets confondus.
Elle déclare amoureusement
au Sieur Tourtière Dulac Saint-Jean :

Oui, oui, oui!

C'est toi que je choisis, mon tendre ami!

Tu seras mon tout petit gentil mari aussi doux qu'un ouistiti!

Après de joyeuses célébrations,
les tourtereaux prennent allègrement
la route.

Ils fonderont une grande famille,
au Royaume du Saguenay,
et un joli village avec…

un zoo
rempli de ouistitis !!!

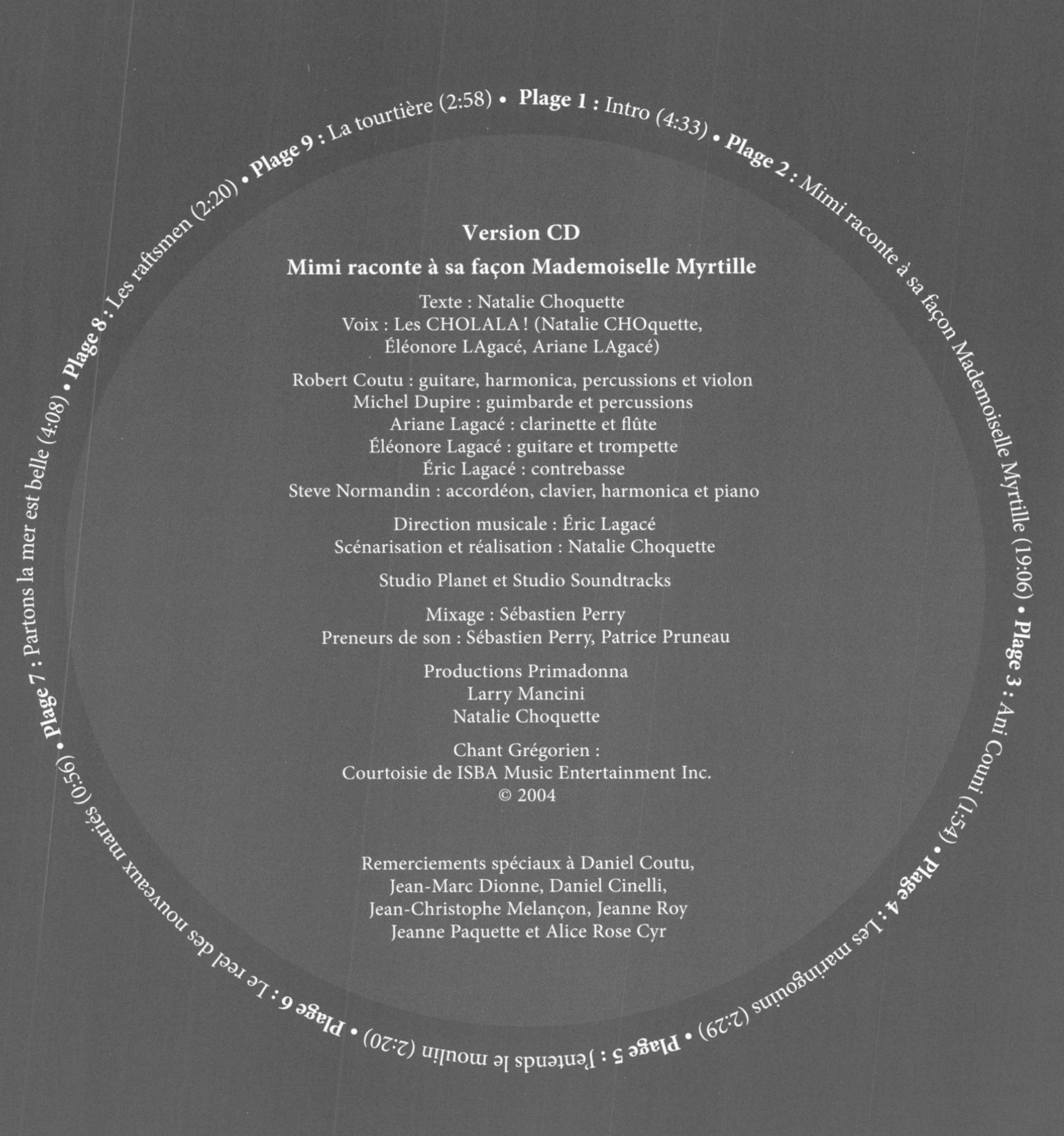

Version CD

Mimi raconte à sa façon Mademoiselle Myrtille

Texte : Natalie Choquette
Voix : Les CHOLALA ! (Natalie CHOquette,
Éléonore LAgacé, Ariane LAgacé)

Robert Coutu : guitare, harmonica, percussions et violon
Michel Dupire : guimbarde et percussions
Ariane Lagacé : clarinette et flûte
Éléonore Lagacé : guitare et trompette
Éric Lagacé : contrebasse
Steve Normandin : accordéon, clavier, harmonica et piano

Direction musicale : Éric Lagacé
Scénarisation et réalisation : Natalie Choquette

Studio Planet et Studio Soundtracks

Mixage : Sébastien Perry
Preneurs de son : Sébastien Perry, Patrice Pruneau

Productions Primadonna
Larry Mancini
Natalie Choquette

Chant Grégorien :
Courtoisie de ISBA Music Entertainment Inc.

Remerciements spéciaux à Daniel Coutu,
Jean-Marc Dionne, Daniel Cinelli,
Jean-Christophe Melançon, Jeanne Roy
Jeanne Paquette et Alice Rose Cyr